S0-ASY-301

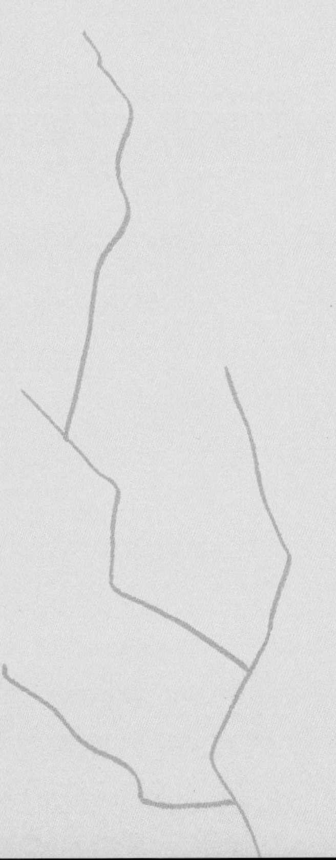

亲爱的，你也很棒

JAMAL JEALOUSAURUS

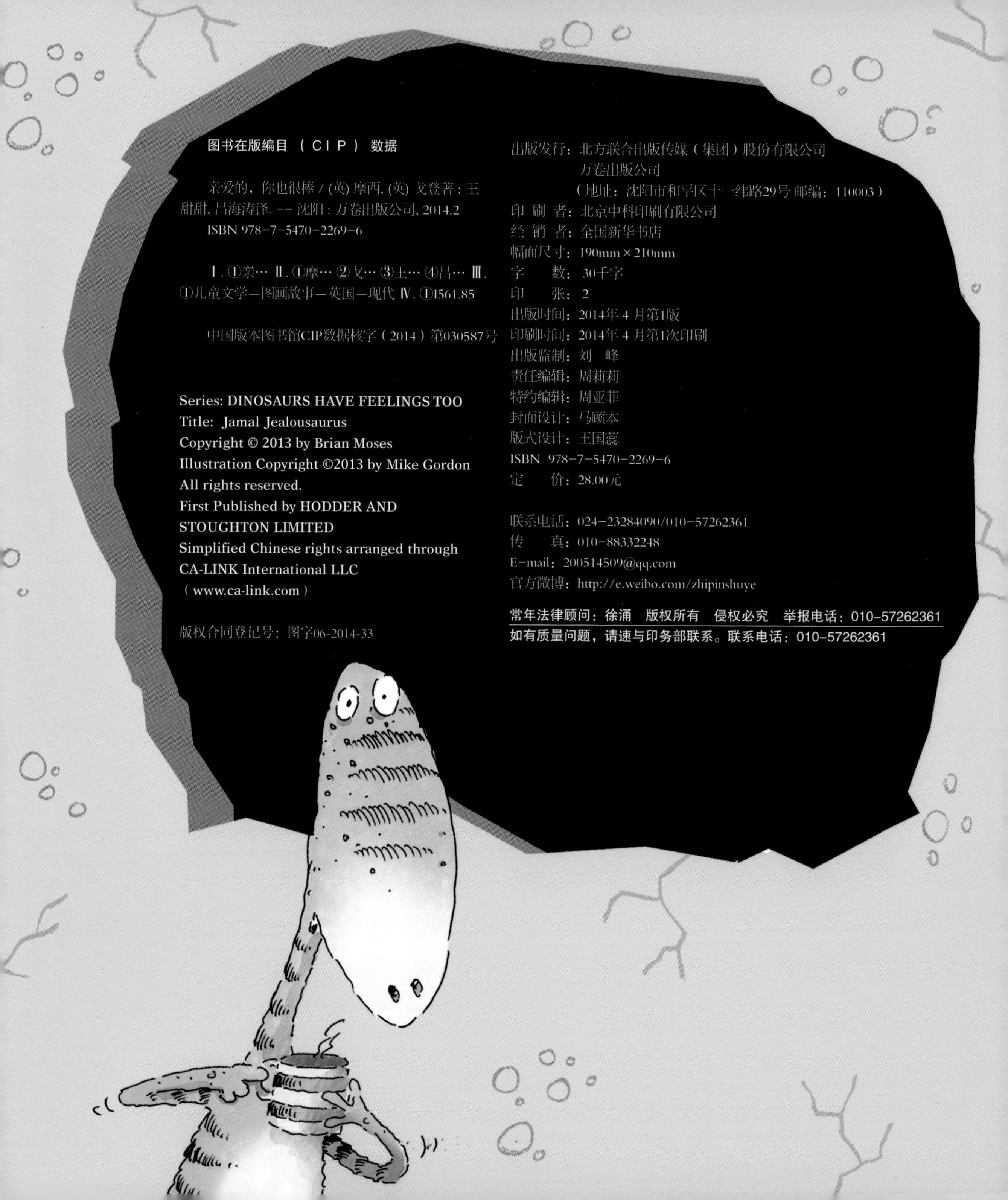

图书在版编目（CIP）数据

亲爱的，你也很棒 / (英) 摩西, (英) 戈登著 ; 王甜甜, 吕海涛译. -- 沈阳 : 万卷出版公司, 2014.2
ISBN 978-7-5470-2269-6

Ⅰ. ①亲… Ⅱ. ①摩… ②戈… ③王… ④吕… Ⅲ. ①儿童文学—图画故事—英国—现代 Ⅳ. ①I561.85

中国版本图书馆CIP数据核字（2014）第030587号

Series: DINOSAURS HAVE FEELINGS TOO
Title: Jamal Jealousaurus

First Published by HODDER AND STOUGHTON LIMITED
Simplified Chinese rights arranged through CA-LINK International LLC
（www.ca-link.com）

版权合同登记号：图字06-2014-33

出版发行：北方联合出版传媒（集团）股份有限公司
万卷出版公司
（地址：沈阳市和平区十一纬路29号 邮编：110003）
印 刷 者：北京中科印刷有限公司
经 销 者：全国新华书店
幅面尺寸：190mm × 210mm
字　　数：30千字
印　　张：2
出版时间：2014年 4 月第1版
印刷时间：2014年 4 月第1次印刷
出版监制：刘　峰
责任编辑：周莉莉
特约编辑：周亚菲
封面设计：马颐本
版式设计：王国蕊
ISBN 978-7-5470-2269-6
定　　价：28.00元

联系电话：024-23284090/010-57262361
传　　真：010-88332248
E-mail：200514509@qq.com
官方微博：http://e.weibo.com/zhipinshuye

亲爱的，你也很棒

JAMAL JEALOUSAURUS

[英]布莱恩·摩西◎著　[英]迈克·戈登◎绘
王甜甜　吕海涛◎译

北方联合出版传媒(集团)股份有限公司
万卷出版公司

贾马尔是一只绿眼睛的小恐龙，他总是嫉妒别人。

Jamal was a green-eyed jealousaurus.

他越嫉妒别人，他的眼睛就越亮。

The more jealous he became, the brighter his eyes shone.

他嫉妒弟弟在比赛中的高超技艺。

He was jealous of his
brother's skill at games.

“我真希望我能在沼泽逃生比赛中打败他。”

“I wish I could beat him at Swamp Escape.”

他嫉妒朋友们能够骑上飞快的新勃朗涛牌自行车去兜风，因为他只有一辆滑板车。

He was jealous of his friends on their fast new Bronto-bikes when he only had a scooter.

他的堂兄弟们假期比他多，他们似乎总是在度假。这也让贾马尔嫉妒不已。

He was jealous of his cousins who always seemed to have far more holidays than he did.

“再见，贾马尔，我们会给你寄明信片的。”
Bye Jamal, we'll send you a postcard.

贾马尔决定告诉妈妈他总是嫉妒别人。

Jamal decided to tell his mum how jealous he felt.

他妈妈说，“有一点嫉妒别人是很正常的，不过我们所有人都必须学会应对自己的这种情绪。”

She said, "It's natural to feel a little bit jealous, but we all have to learn how to deal with it."

“我就有点嫉妒隔壁的那只恐龙。”他妈妈解释说。

“I'm a bit jealous of the dinosaur next door,” his mum explained.

“她住的洞穴屋比我们家的大多了，而且她总是买回各种各样的新东西。”

“She has a much bigger cave than we do, and she’s always buying new things.”

“我也有点嫉妒我的朋友，
他刚新买了辆恐龙车。”他爸爸说。

“And I’m jealous of my friend’s
new dinocar,” said his dad.

“他的新车开起来十分平稳，

而且不会像我们家的车那样被鹅卵石颠得弹起来。”

“It’s such a smooth drive and it doesn’t bounce over

the boulders like our car does.”

"可是有时候，我真的太嫉妒他们了，那感觉就像黏滑的青藤顺着我的脚趾头一点点地向上爬，勒着我的肚子，弄得我除了嫉妒什么事情都想不了。"

"But sometimes I get so jealous, it feels like slimy creepers are crawling up from my toes and curling round my tummy till I can't think of anything else."

“我讨厌这种感觉。”贾马尔说。

I hate it when I feel like that," he said.

“你得牢记自己能够做好的所有事情，”
贾马尔的爸爸说，
“想一想你的尾球打得多棒啊！”

“You've got to remember all the good things that you can do,” said Jamal's dad. “Think about how clever you are at tailball.”

“也许有一天，你能够参加恐龙联合杯比赛，对抗侏罗纪巨人队。”

“Maybe one day you'll play for Dinosaur United against the Jurassic Giants.”

“当你感到妒忌别人的时候，不妨想想自己拥有的所有好的东西。”贾马尔的妈妈告诉他。

“And when you feel jealous, you need to think of all the good things you have,” Jamal’s mum told him.

“你可以想一想去年我们一家在‘冒险岛’度过的那个特殊而快乐的假期。”

“Think of that special holiday we had last year when we went to 'Adventure Island'.”

“还有，贾马尔，不要忘了其他
恐龙可能也在嫉妒你。”

“Remember also, Jamal, that other
dinosaurs might be jealous of you .”

"你是说他们嫉妒我的骨板车技术？"

贾马尔微笑着回答道。

"You mean jealous of my boneboarding

skills," replied Jamal with a grin.

现在，贾马尔每天都努力地尝试着克制自己的嫉妒心。

Every day now, Jamal tries his hardest not to be too jealous.

“也许，我可以做一只‘不那么嫉妒别人的小恐龙’或是‘只有一点点嫉妒心的小恐龙’。”

“Maybe I can be a 'Not so jealousaurus' or an 'Only a little bit jealousaurus'.”

从他眼睛的变化你就能看出他做得多么好了。

You can always tell how successful

he is by looking into his eyes.

现在，他不再嫉妒别人，
你能明白这是为什么吗？

He's doing well today,
can you see why ?

给父母和老师的阅读建议

和孩子们一起阅读本书，单个阅读或团体阅读皆可。和他们聊一聊什么会让他们嫉妒。当孩子们嫉妒他人的时候，他们感觉如何？他们是不是也曾经因为书中令贾马尔感到嫉妒的那些事情而妒忌别人？

通常来说，孩子们并不明白愤怒和沮丧其实也是嫉妒情绪的一部分。你可以帮助孩子们做一个面具来展现他们心中的嫉妒表情。然后和他们一起讨论他们画在面具上的表情。

帮助孩子写一些短小的诗歌来表达他们的嫉妒情绪：

当我的兄弟赢得奖牌时，我会嫉妒他。

当老师赞扬我的朋友阅读很棒却没有称赞我的时候，我会嫉妒。

当其他小朋友在圣诞节时得到了我想要的那款电子游戏的时候，我会嫉妒他们。

当……的时候，我会感到嫉妒。

问问孩子们，关于如何克服这种嫉妒情绪，他们有何建议？

贾马尔的父母提醒贾马尔，其他恐龙也许同样会嫉妒他的某些技能。贾马尔立刻就想到了自己高超的“骨板车技艺”。

让孩子们想一想自己擅长做哪些事情，其他人是不是也会嫉妒他们的技能呢？

有些孩子可能会愿意围绕书中第六页至第十一页中的场景，把自己的经历写成故事。这些故事的结果是消极的，还是积极的？和他们谈一谈他们写的这些故事，以及他们为什么决定把自己做过的事情写下来。

让孩子们思考为什么大人也会有嫉妒的时候。

妈妈嫉妒姨妈有新靴子。她也想要一双那样的靴子。

爸爸嫉妒我们的邻居买了新电视。新电视的屏幕好大好大。

奶奶嫉妒我们现在有这么多可玩的玩具。“我小时候可没有这么多好玩的。”她说。

“嫉妒”也可以成为一个有趣的主题——小狗会嫉妒吗，它们嫉妒些什么呢？小猫、蜘蛛、小兔子呢？

我的狗嫉妒隔壁的狗有一个新球。他很想把那个球带回家。

我的猫嫉妒另一只猫会唱歌。他希望自己也能发出像她那么好听的叫声。

通过阅读下一页中分享的绘本，继续探讨情绪的含义。和孩子们谈谈他们对情绪的认识，并且再一次向他们保证，偶尔有点小情绪是非常自然而正常的，每个人都会有这种时候。

儿童情绪管理绘本系列

中国第一套儿童情绪管理绘本
宝贝，别生气
ANNA

中国第一套儿童情绪管理绘本
再见，坏脾气
GRACIE
GRUMPOSAURUS

中国第一套儿童情绪管理绘本
宝贝，别害羞
SOPHIE
SHYOSAURUS

中国第一套儿童情绪管理绘本
亲爱的，不烦不烦
WILLIAM
WORRYDACTYL

中国第一套儿童情绪管理绘本
亲爱的，你也很棒
JAMAL
JEALOUSAURUS

中国第一套儿童情绪管理绘本
别说我是胆小鬼
SAMUEL
SCAREDOSAURUS

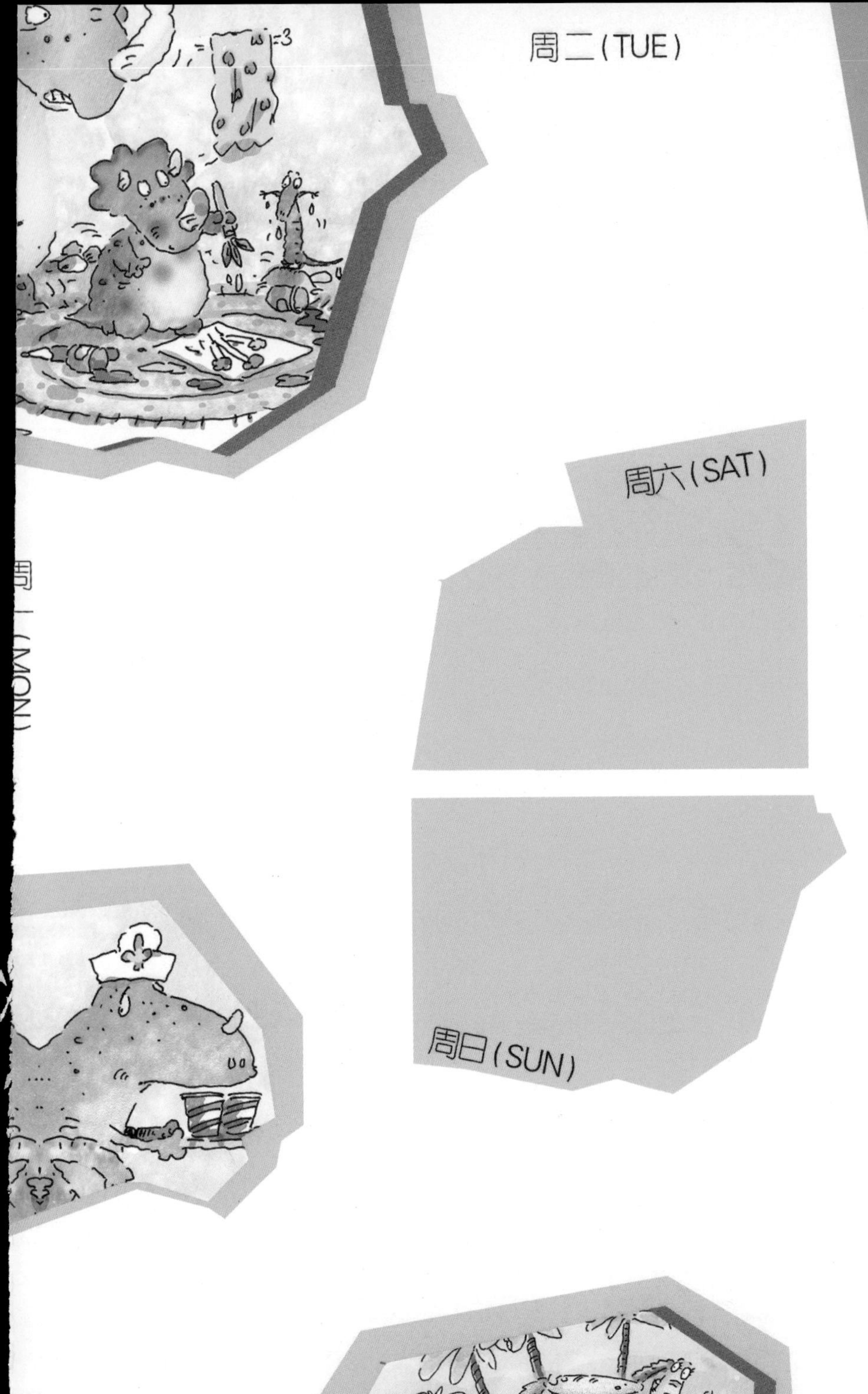

周二(TUE)

宝贝，你今天战胜了哪种不良情绪？将那只小恐龙贴上吧！

周六(SAT)

周一(MON)

周三(WED)

周日(SUN)

周五(FRI)

周四(THU)

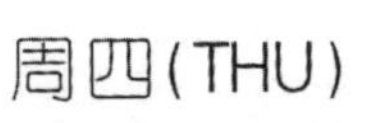

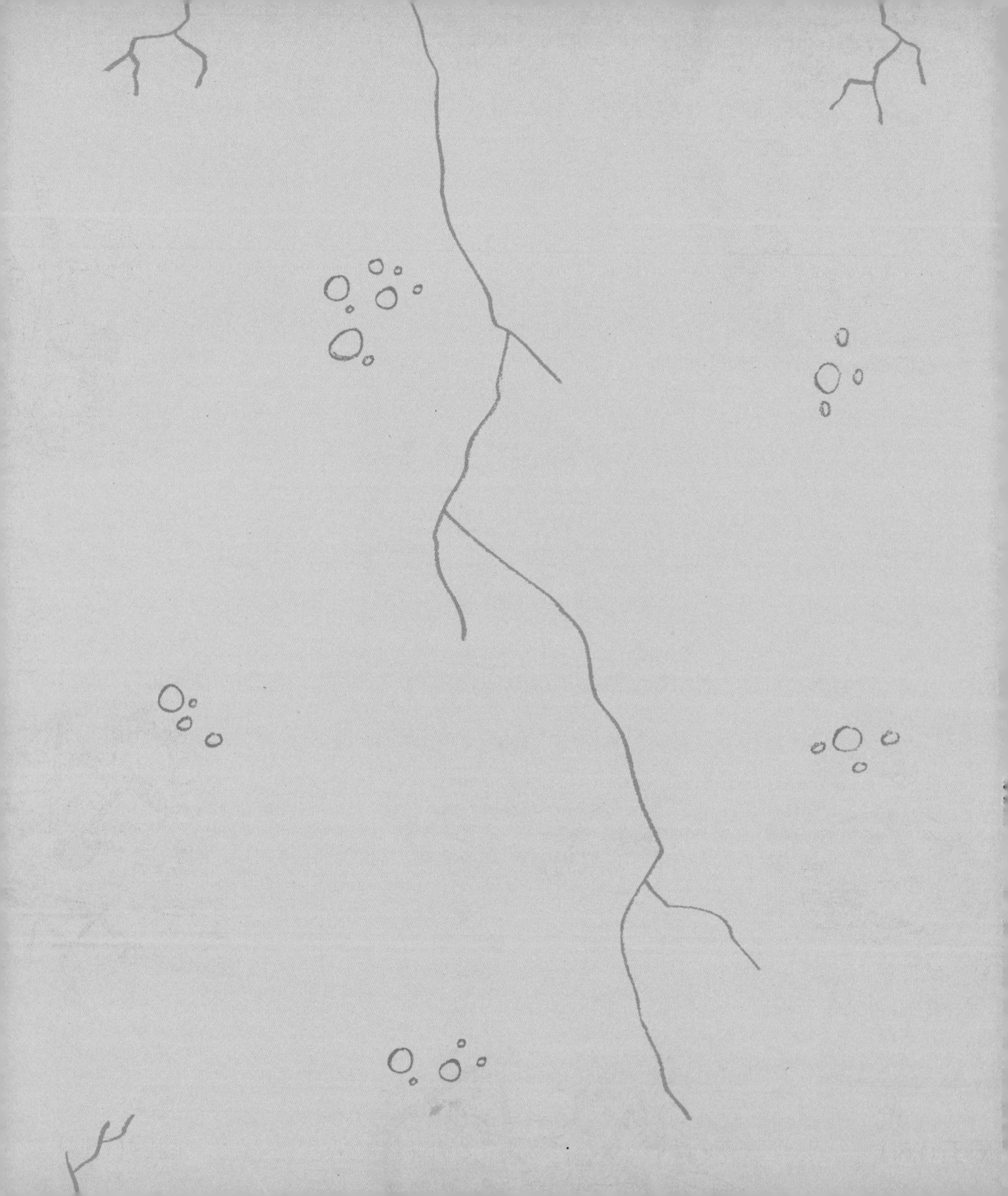